果仁小镇

钓外星鱼

张合军　著

［乌克兰］尼古拉·洛马金

［乌克兰］柳德米拉·奥西波娃　绘

GUANGXI NORMAL UNIVERSITY PRESS
广西师范大学出版社
·桂林·

出版统筹：施东毅
品牌总监：耿 磊
选题策划：陈显英 霍 芳
特约策划：闫晓玫
责任编辑：李茂军
助理编辑：霍 芳
美术编辑：卜翠红
营销编辑：杜文心 钟小文
责任技编：李春林
特别鸣谢：果仁小镇（北京）科技有限公司

图书在版编目（CIP）数据

钓外星鱼 / 张合军著；（乌克兰）尼古拉·洛马金，
（乌克兰）柳德米拉·奥西波娃绘. —桂林：广西师范
大学出版社，2019.1
　（果仁小镇）
　ISBN 978-7-5598-1332-9

Ⅰ．①钓… Ⅱ．①张…②尼…③柳… Ⅲ．①儿童故
事—图画故事—中国—当代 Ⅳ．①I287.8

中国版本图书馆 CIP 数据核字（2018）第 243052 号

广西师范大学出版社出版发行

（ 广西桂林市五里店路 9 号　邮政编码：541004 ）
（ 网址：http://www.bbtpress.com ）

出版人：张艺兵

全国新华书店经销

北京尚唐印刷包装有限公司印刷

（北京市顺义区牛栏山镇腾仁路 11 号　邮政编码：101399）

开本：889 mm × 1 060 mm　1/16

印张：2.75　　　字数：63 千字

2019 年 1 月第 1 版　　2019 年 1 月第 1 次印刷

定价：45.00 元

致合成、合一、子睿、麒榕、辰辰，伴着蝉鸣，

你们肆意茁壮地生长……

　　这本书是儿童的完美礼物，是出乎我们意料的艺术成就，中乌两国素昧平生的艺术家为读者呈现出的新的童话世界令人惊叹。父母给孩子读这样一本魔法书，将向他们展示世界的多样性和美好愿望的力量。

——［乌克兰］尼古拉·洛马金

　　在这个充满爱与渴望的世界，为了梦想而面对挑战，希望所有的孩子都能幸福，祝愿所有孩子开心的愿望都能实现。

——［乌克兰］柳德米拉·奥西波娃

漫长的冬天结束了，果仁们在春天里开始了每年一次的**"化装舞会"**，看谁能吸引更多的蜜蜂。草莓玉米夏洛特扮成了彩虹，来自中国台湾的火龙果千慧打扮成了火流星，南瓜皮蒂变成了魔法师，玉米冈萨雷斯干脆化装成了蜂王!

"看呀! 我这里飞来了几百只蜜蜂!"第一次就开出很多美丽小花的葡萄玛蒂尔达开心地大叫，她化装成了一片下雨的云，凡尔纳先生还专门为她的房子搭建了梯子。

"快看! 蜜蜂们满脸花粉，**就像戴着面具在跳舞!**"草莓玉米夏洛特忍不住哈哈大笑。

果仁们开心极了，很快与蜜蜂们一起跳起舞来，今年来参加舞会的蜜蜂比去年更多，看来今年会结出更多的果仁，大粮仓就要住满!

与此同时，在北京，正是满天繁星的夜晚。小男孩云初正躺在院子里看星星。"天上那条鱼今天怎么张开嘴巴了？是在吐泡泡，还是要吃东西？"

正在纳闷的时候，传来了妈妈的声音："云初，你在想什么呀？"

"妈妈，我想成为一名宇航员，抓住那条外星鱼！"

这时，一颗流星飞过头顶，小男孩云初赶紧许下愿望：

我要钓到外星鱼！

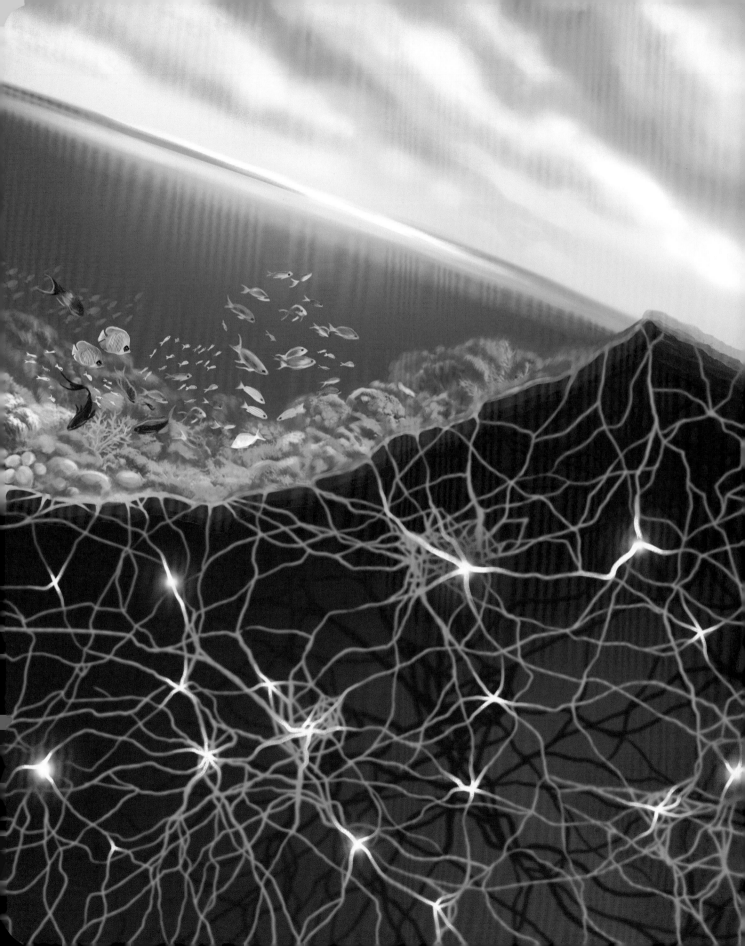

这个念头通过地球的**神经系统**迅速传向地心，又通过地心飞快地传给了**开心果柯拉的树根**，然后……

　　"开心果树又结出了**一颗梦想果！**"这次是草莓玉米夏洛特第一个看到。"这是中国小男孩云初许下的一个愿望。"开心果柯拉说。

　　"自从'**糖果雨**'的愿望实现后，小朋友的愿望越来越异想天开！"南瓜皮蒂大笑说，"这次，这次该不会是要摘星星吧？！"

　　"猜对了，皮蒂！这个愿望就是摘'星星'——他想要钓外星鱼。"开心果柯拉笑着回答。

"**多有趣的想法啊！**" 葡萄玛蒂尔达说，"我们应该想想办法。"

"小葡萄你说的是醉话吗？你还没酿出酒就已经醉了吧！"南瓜皮蒂大叫着说。

"这个想法太疯狂了，我们只能说**抱歉！**" 玉米冈萨雷斯也觉得不可思议，笑着嘲弄道。

"为什么不可能？爸爸，您还不是为非洲小朋友下了一场糖果雨？"草莓玉米夏洛特着急地说，"我们这次也一定能帮助云初钓到外星鱼！"

"**完全有可能。**"橙子阿阳接着说，"有一次，我听凡尔纳先生在窗前自言自语，他曾坐着炮弹从地球飞到了月亮上面，最后又掉回了海里！最近他发明出了更先进的啤酒飞船，搭载一台性能超强的啤酒喷气发生装置，也就是说使用啤酒作为推进剂！听说最近正要选拔宇航员呢。"

"**哇！有这么神奇的事？**" 玉米冈萨雷斯兴奋地直挠头，他可是个太空迷。

"我们可以乘着凡尔纳先生的啤酒飞船飞到天上去，说不定真的能把**外星鱼**带回来！"

这天夜里，凡尔纳先生贴出了一封公开信，内容如下。

　　致地球上所有的太空爱好者：近期有外星鱼入侵地球领空，为了保卫地球，现征集勇士一名，唯一的条件是**必须足够美味！** 因为，这位勇士将作为鱼饵，乘坐啤酒飞船去把外星鱼钓回来。这也是中国小男孩云初的愿望。

　　没想到，公开信刚贴出去，就被南瓜皮蒂摘走了，他听说可以飞上太空以后就一直兴奋地期待着，生怕这么好的机会被人抢走。只不过他不认识字，竟不知道这次是去做外星鱼的鱼饵！

"**向你致敬，太空的勇士！**"办公室里，凡尔纳先生充满敬意地说，"显然，你符合这次任务唯一的条件。那么，南瓜皮蒂先生，你参加这次任务不会后悔吗？"

"**绝不后悔！**"南瓜皮蒂激动地做了个立正、敬礼的动作。

　　为了南瓜皮蒂的安全，同时也为成功完成钓外星鱼的任务，凡尔纳先生开始对南瓜皮蒂进行体能、心理、飞船驾驶等一系列的训练，还根据南瓜皮蒂的身材量身打造了一套宇航服。

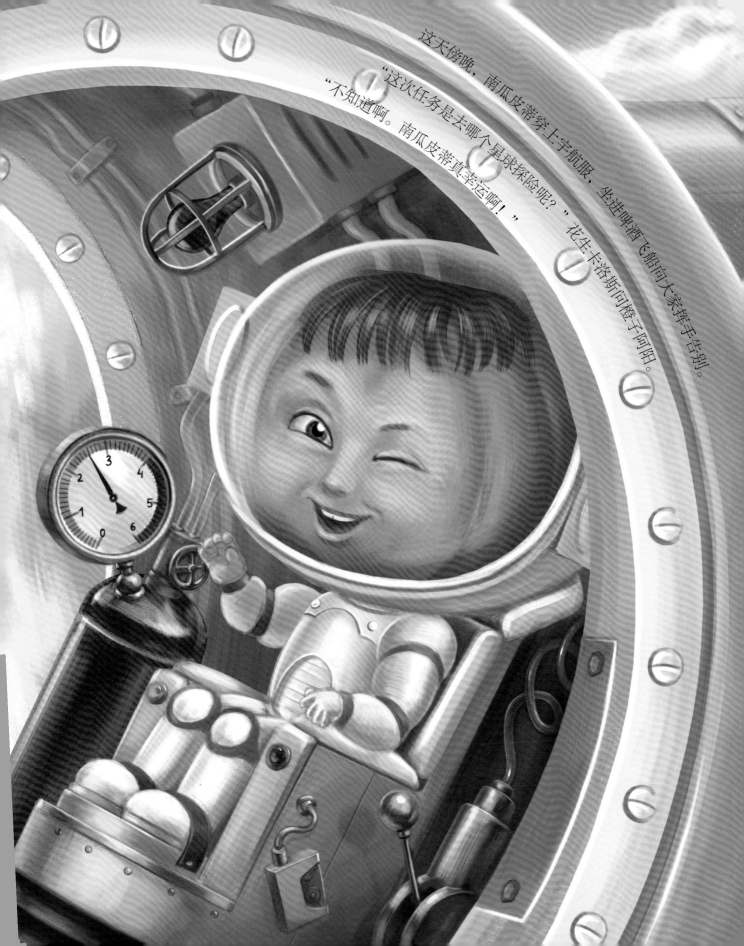

这天傍晚，南瓜皮蒂穿上宇航服，坐进啤酒飞船向大家挥手告别。

"这次任务是去哪个星球探险呢？"花生卡洛斯问橙子阿陇。

"不知道啊。南瓜皮蒂真幸运啊！"

大家带着好奇心看着南瓜皮蒂和啤酒飞船升上了高空，这时听到凡尔纳先生自言自语道："南瓜皮蒂先生是**真正的勇士**！要知道，作为鱼饵去钓外星鱼是非常危险的。"

"啊！"果仁们惊呆了。

　　啤酒飞船渐渐升高，牵引绳逐渐被拉长，地球小得几乎看不见了，四周一片漆黑。他身上的宇航服开始逐渐变小、变紧，他不知道其实是太空失重等原因使自己身体变大啦！

　　他感到孤独和害怕，勉强唱着歌给自己壮胆："南瓜皮蒂胆儿最大，上天入地啥也不怕，要问现在最想是哪，果仁小镇南瓜的家——**爸爸！妈妈！**你们在哪里啊，我好害怕！呜呜……"

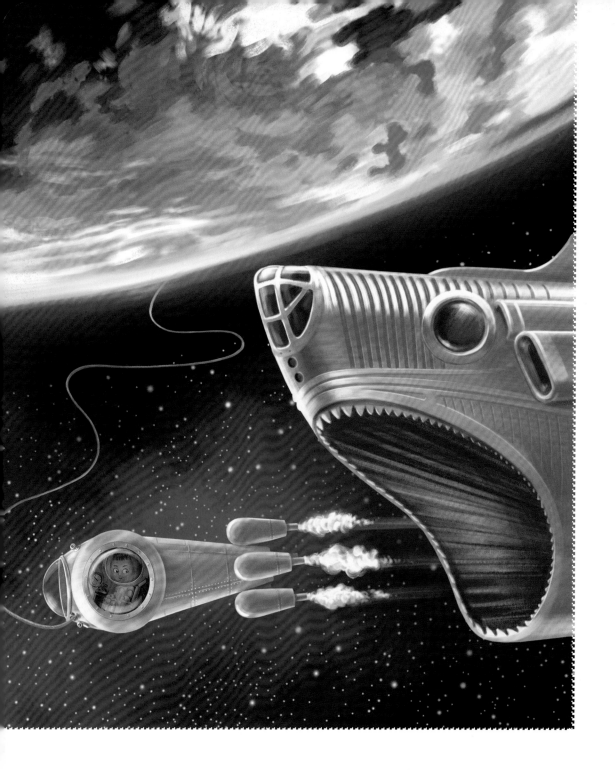

突然，啤酒飞船上的警报灯闪起来——**外星鱼出现了！**
在地球上的果仁小镇，大家正目睹那条张着嘴的外星鱼快速游动！
　"快看，鱼好像上钩了！"

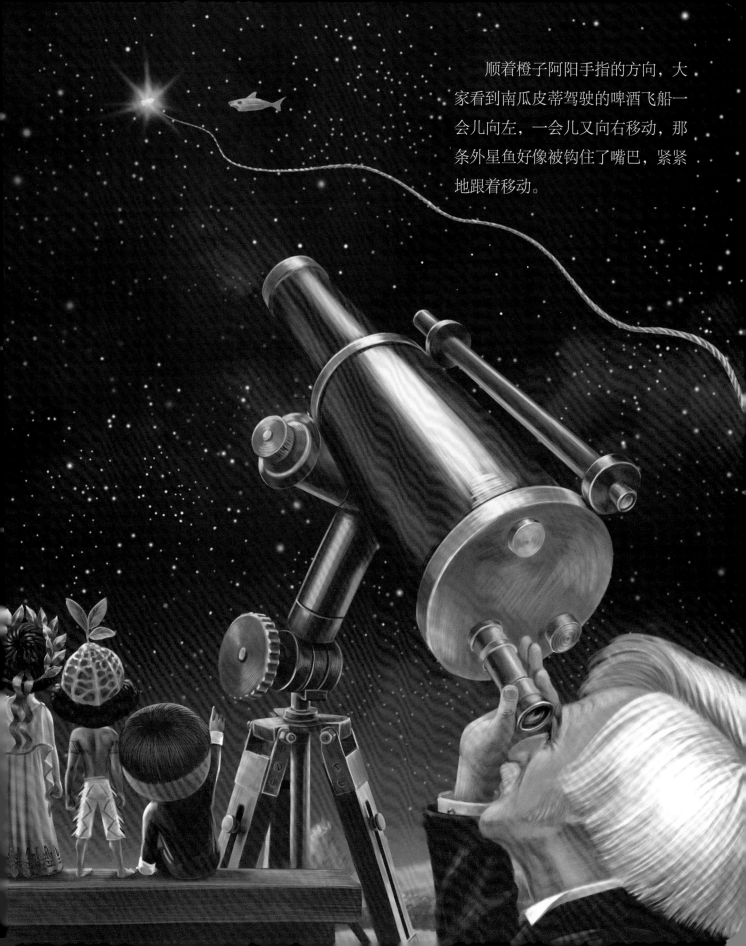

顺着橙子阿阳手指的方向，大家看到南瓜皮蒂驾驶的啤酒飞船一会儿向左，一会儿又向右移动，那条外星鱼好像被钩住了嘴巴，紧紧地跟着移动。

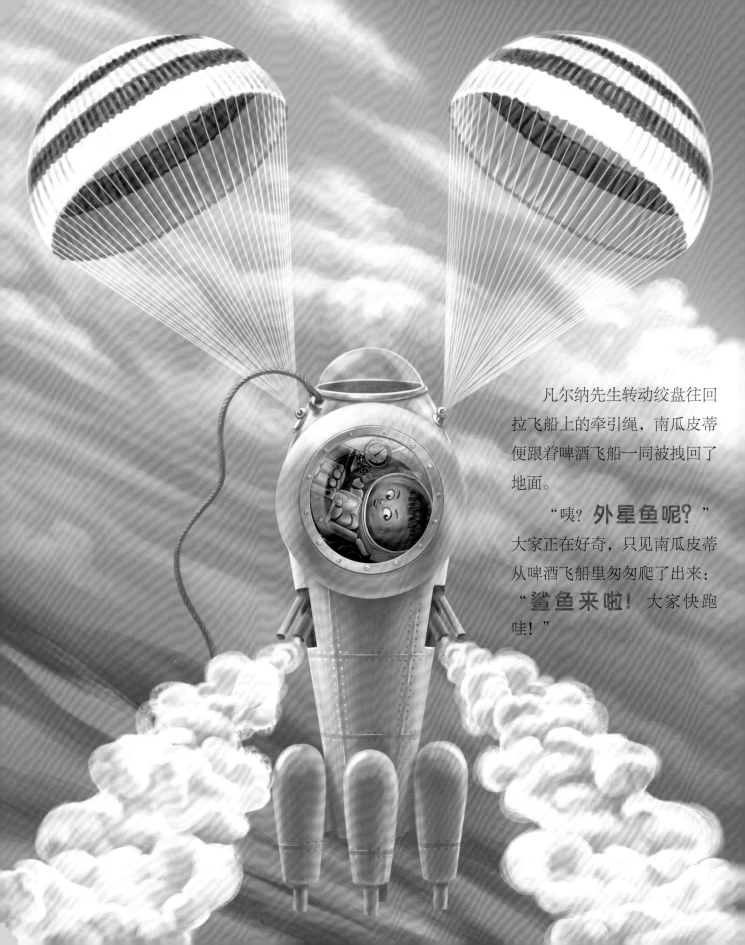

凡尔纳先生转动绞盘往回拉飞船上的牵引绳，南瓜皮蒂便跟着啤酒飞船一同被拽回了地面。

"咦？**外星鱼呢？**"大家正在好奇，只见南瓜皮蒂从啤酒飞船里匆匆爬了出来："**鲨鱼来啦！**大家快跑哇！"

　　果然，一条长得和鲨鱼一样的外星鱼追了上来。降落后，大家仔细一看，原来是一艘鲨鱼形状的太空飞船，从飞船里竟走出来两只恐龙！

　　"你们好！大家不用害怕，我们是从地球离开的恐龙后代，我是剑龙哈布斯，这是棘龙该亚。"

　　"史前文明果然存在！"凡尔纳先生激动地说，"我一直认为，在人类初期甚至人类诞生以前，地球就存在着远超过今天的智慧和科技。"

　　"是的，先生。在6500万年前的那次恐龙大灭绝发生的时候，我们的祖先乘坐银河巴士逃离地球进入**银河系中心**，并在那里建造了一座太空城。"剑龙哈布斯说，"我们一直在寻找地球，希望重返家乡，但由于地球的定位系统损坏而一直没有找到。"

"地球还有定位系统？"橙子阿阳惊讶地问道。

"是的，其实**地球本身也是一艘飞船，**跟太空中的其他星球一样。"

棘龙该亚的话让凡尔纳先生和果仁们一个个张大了嘴巴。"宇宙太大了，仅仅在银河系，我们就找了地球几千万年，幸好你们的科技有了今天的进步，使我们寻到了久违的味道。"说着，棘龙该亚朝南瓜皮蒂做了个鬼脸。

接下来的两天，在草莓玉米夏洛特的陪伴下，两只恐龙乘坐外星鱼飞船在地球做了环球旅行，还秘密会见了当初许愿钓外星鱼的中国小男孩云初。云初不仅亲眼看到了**外星鱼飞船**，还被邀请进入飞船参观，美美地吃了一顿**太空大餐**。

他们甚至在果仁小镇的麦田里"**创作**"了一条巨大的**鲨鱼**。

分手的时候，棘龙该亚送给云初一块石头。这块石头来自银河系一颗名叫"**云初**"的行星——仅银河系就有万亿颗行星，而地球上的人还不到一百亿，星星和人的名字很容易重合，说不定就有一颗星星和听故事的你是同一个名字哦！

果仁们邀请两只恐龙"**移民到地球**"，却遭到了婉言谢绝："地球人为了吃鱼翅，每年杀掉将近一亿条鲨鱼，这与6500万年前那次恐龙大灭绝有什么不一样吗？我知道果仁小镇的居民不吃鱼翅，所以，欢迎你们到银河系中心的太空城做客！"

"我们一定会驾驶地球飞船去看望你们的！"草莓玉米夏洛特激动地说，**"祝你们好运！"**

"那么，再见了！"棘龙该亚说完，外星鱼飞船**"嗖"**地一下就没影了。

这次的冒险之后，南瓜皮蒂也有了一个愿望——**学习认字！**

银河系中的这颗星星为什么爱哭？是谁让她这么爱哭的？棘龙该亚在太空用天文望远镜观察这颗星星，并画下了一张张哭泣的面孔：白色垃圾污染、黑色硝烟中的战争、红十字组织救助的疾病儿童、沙漠化引起的黄色风暴。看到森林，画纸上的星星露出了笑容——是绿色！绿色可以让星星笑起来！

果仁小镇 档案

云初

一个胆子大、爱画画、口才好，但有时候爱掉眼泪的男孩子。喜欢幻想和各种尝试，曾许下"钓外星鱼"的愿望，在"果仁小镇"的第二辑里，云初将担任驾驶地球飞船的飞行员。

小朋友，你有一条智慧链接，请查收……

你好，我的朋友，我是云初，很开心与你分享果仁小镇的故事。"钓外星鱼"是我刚刚实现的愿望，我因此新交了两位恐龙朋友，还获得了一块陨石！棘龙该亚让我知道了人类为了吃鱼翅杀害了无数的鲨鱼，鲨鱼正像6500万年前的恐龙一样面临灭顶之灾，不同的是，上一次是天灾，而这一次是人祸。情况非常紧急，我的朋友，请你和我一起，拒绝食用鱼翅。

南瓜皮蒂

性格憨憨的，有个大大的脑袋却不怎么"聪明"，遇到问题总是第一个打退堂鼓。

在一次太空行动中，南瓜皮蒂因为不识字竟不可思议地成了宇航员，并且将一艘巨大的外星鱼飞船"钓"回了地球上。

小朋友,你有一条智慧链接,请查收……

亲爱的小读者，你好，我是南瓜皮蒂，是的，被某些国家誉为"神瓜"的就是我，因为我既可以做粮食，又可以做菜。美国人在某些传统节日里都要吃南瓜，以表示对南瓜的谢意。这些荣誉完全说明了我多么重要，而且我也很聪明，哈哈哈！除了我，果仁小镇的居民都容易头脑发热，我就喜欢给他们泼冷水，其实是为了让他们冷静下来，找到可以帮助小朋友实现愿望的好点子。

橙子阿阳

果仁小镇里的"地理书"，懂得许多地理知识，喜爱画画，也喜欢李小龙的真功夫，深受果仁小镇居民的信任。为了让大家进入漆黑的地心探险，他发明了超级可爱的"萤火虫头灯"。

小朋友,你有一条智慧链接,请查收……

　　小朋友你好，我是橙子阿阳，我的全名叫邓玉阳，我的家乡在湖南宜章，那里盛产甜美的橙子。橙子是许多人都很喜爱的水果，有很高的食用和药用价值。一个中等大小的橙子可以提供人一天所需的维生素 C，提高身体抗细菌侵害的能力。但是吃再好的东西也要适度，吃多了就会产生相反的作用！

火龙果千慧

来自中国台湾，热衷于化装舞会和滑雪运动，有时温柔得像水一样，有时候热情得像火一样。她的口头禅是：每天一个火龙果，强心健体不上火！

小朋友,你有一条智慧链接,请查收……

　　亲爱的小朋友，你好，我是火龙果千慧。告诉你一个秘密，其实我最喜爱的事是——练书法！我在写字的过程中仿佛能体会到祖先造字时的情景和乐趣，接着，心慢慢变得平静、愉快，这种感觉从心传到手指、再传到笔尖，于是，一个自由而美妙的汉字就留在了纸上。小朋友，只要用心，你也可以找到这样的感觉哦！

致 谢

　　本书中，果，即因果，是自然界的规律；仁，即仁爱，是人完成生命旅程的至高境界。

　　果仁，指那些明理、充满梦想、仁爱、勇敢的种子。

　　衷心感谢沈鹏先生和袁熙坤先生对我的启迪和支持，以及所有为本书的出版提供帮助的朋友！

　　特别感谢我的爱人晓玫在本书长达三年多的创作时间里的倾心投入，祝愿我们用心播种的这颗种子，为启发更多儿童的想象力和爱心发挥作用。

因仁而果——果仁小镇之歌

词 / 张合军

果仁什么也不怕

果仁谁都不欺负

果仁知道世界怎样运转

大自然万物皆相连

联通的密码那就是爱

蝌蚪变成青蛙

凡事慢慢去干

一切有迹可循　道理从没有变

果仁什么也不怕　果仁谁都不欺负

这是全宇宙永恒的智慧

想在秋天结甚果实

就在春天种下什么种子　宝藏遍布心田

探索还是占有　世界每天在变

道理从没有变